劉福春・李怡 主編

民國文學珍稀文獻集成

第三輯

新詩舊集影印叢編　第88冊

【劉半農卷】

揚鞭集（中）

北新書局 1926 年 10 月出版

劉半農　著

花木蘭文化事業有限公司

國家圖書館出版品預行編目資料

揚鞭集（中）／劉半農　著 — 初版 — 新北市：花木蘭文化事業有限公司，2021〔民110〕

174面；19×26公分

（民國文學珍稀文獻集成・第三輯・新詩舊集影印叢編　第88冊）

ISBN 978-986-518-473-5（套書精裝）

831.8　　10010193

ISBN-978-986-518-473-5

9789865184735

民國文學珍稀文獻集成・第三輯・新詩舊集影印叢編（86-120冊）
第88冊

揚鞭集（中）

著　者　劉半農
主　編　劉福春、李怡
企　劃　四川大學中國詩歌研究院
　　　　四川大學大文學學派
總 編 輯　杜潔祥
副總編輯　楊嘉樂
編　輯　許郁翎、張雅淋、潘玟靜　美術編輯　陳逸婷
出　版　花木蘭文化事業有限公司
社　長　高小娟
聯絡地址　235 新北市中和區中安街七二號十三樓
　　　　電話：02-2923-1455／傳真：02-2923-1452
網　址　http://www.huamulan.tw　信箱 service@huamulans.com
印　刷　普羅文化出版廣告事業
初　版　2021年8月
定　價　第三輯86-120冊（精裝）新台幣88,000元

揚鞭集（中）

劉半農 著

北新書局一九二六年十月出版。
原書大三十二開。影印所用底本封面缺。

揚鞭集 中

劉半農所作詩歌小品·自
一九二一年至一九二五年

一九二六年北
京北新書局印

一九二一年元旦（在大窮大病中）

徹夜的醒着；
徹夜的痛着；
從淒冷的雨聲中，
看着個灰白色的黎明
漸漸的露面了，
知道這已是換了一年了。

病中與病後

害了病昏昏的躺着。求你讓我靜些罷！可是誰也不聽我的話：那紛雜的市聲，還只顧一陣陣的飄來！

飄來了也就聽聽罷：唉！這也是聽過的，那也是聽過的，算了罷！世界本是這麼的一齣戲：把許多討厭的老調堆積起來了，就算是寶貴的人生了！

病好了出門，什麼東西都已久違了，什麼東西都是新鮮的。送牛奶的小孩對我點了個頭，側眼看着我瘦白的臉，也充滿了人間的愛。一陣冷風吹來，幾乎把我吹倒，我但覺它帶來了無限的新興趣，沒有什麼對我不起。唉！人生呵！這便是人生的眞際，這以外還有什麼人生呢！

（一九二一，一月，倫敦）

奶娘。

我嗚嗚的唱着歌，
輕輕的拍着孩子睡。
孩子不要睡，
我可要睡了！
孩子還是哭，
我可不能哭。

我嗚嗚的唱着，
輕輕的拍着；
也不知道是什麽時候了，
孩子纔勉强的睡着，
我也纔勉强的睡着。

我睡着了
還在嗚嗚的唱，
還在輕輕的拍；

一九二六年

我夢裏看見拍着我自己的孩子，
他熱溫溫的在我胸口兒睡着……
「啊啦！」孩子又醒了，
我，我的夢，也就醒了。

（一九二一，一，一九，倫敦）

一個小農家的暮

她在竈下煑飯，
新砍的山柴，
必必剝剝的響。
竈門裏嫣紅的火光，
閃着她嫣紅的臉，
閃紅了她青布的衣裳。

一九二六年

他銜着個十年的煙斗，
慢慢的從田裏回來；
屋角裏掛去了鋤頭，
便坐在稻床上，
調弄着隻親人的狗。

他還踱到欄裏去，
看一看的他牛；
回頭向她說，

『怎樣了——
我們新釀的酒？』
門對面青山的頂上，
松樹的尖頭，
已露出了半輪的月亮。
孩子們在場上看着月，
還數着天上的星：

一九二六年

「一，二，三，四……」

「五，八，六，兩……」

他們數，他們唱：

「地上人多心不平，

天上星多月不亮。」

（註）末二句是江陰諺。

（一九二一，二，七，倫敦）

稻棚

記得八九歲時，曾在稻棚中住過一夜。這情景是不能再得的了，所以把它追記下來。

（一九二一，二，八，倫敦）

涼爽的蓆，
鬆軟的草，
鋪成張小小的床；
棚角裏碎碎屑屑的，

透進些銀白的月亮光。

一片唧唧的秋蟲聲，
一片甜蜜蜜的新稻香——
這美妙的浪，
把我的幼稺的夢托着翻着………
直翻到天上的天上！……
回來停在草葉上，

看那晶晶的露珠，
何等的輕！
何等的亮！……

回聲

〇一

他看着白羊在嫩綠的草上，
慢慢的喫着走着。
他在一座黑壓壓的
樹林的邊頭，
懶懶的坐着。
微風吹動了樹上的宿雨，

冷冰冰的向他頭上滴着。
他和着羊頸上的鈴聲，
低低的唱着。
他拿着枝短笛，
應着潺潺的流水聲，
嗚嗚的吹着。
他唱着，吹着，

一九二六年

悠悠的想着；
他微微的嘆息；
他火熱的淚，
默默的流着。

〇二

該有吻般甜的蜜？
該有蜜般甜的吻？
有的？……
在那里？……

「那里的海」，
無量數的波稜，
縱着，橫着，
鋪着，疊着，
翻着，滾着，……
我在這一個波稜中，
她又在那里？……

一九二六年

也似乎看見她，
玫瑰般的唇，
白玉般的體，……
只是眼光太鈍了，
沒看出面目來，
她便周身浴着恥辱的淚，
默默的埋入那
黑壓壓的樹林裏！

黑壓壓的樹林，
我眞看不透你，
我眞已看透了你！
我不要你在大風中
向我說什麼；
我也很柔弱，
不能鈎鱷魚的腮，
不能穿鱷魚的鼻，
不能叫它哀求我，

不能叫它諂媚我；
我只是問，
她在那里？
『那里？』回聲這麼說。

唉！小溪裏的水，
你盈盈的媚眼給誰看……
無聊的草，你怎年年的
替墳墓做衣裳？

去罷？——住着！——
住着？——去罷！——

這邊是座舊墳，
下面是死人化成的白骨；
那邊是座新墳，
下面是將化白骨的死人。

一九二六年

你！——你又怎麼？
『你又怎麼？』——回聲這麼說。

〇三

他火熱的淚，
默默的流着；
他微微的嘆息；
他悠悠的想着；
他還吹着，唱着：
他還拿着枝短笛，

應着潺潺的流水聲，
嗚嗚的吹着；
他還和着羊頸上的鈴聲，
低低的唱着。

微風吹動了樹上的宿雨，
冷冰冰的向他頭上滴着；
他還在這一座黑壓壓的
樹林的邊頭，

懶懶的坐着。
他還充滿着願望，
看着白羊在嫩綠的草上，
慢慢的嚼着走着。

（一九二一，二，一〇，倫敦）

北新書局印

在一家印度飯店裏

○一

這是我們今天喫的食，這是佛祖當年乞的食。

這是什麼？是牛油炒成的棕色飯。

這是什麼？是芥厘拌着的薯和菜。

這是什麼？是「陀勒」，是大豆做成的，是印度的國食。

這是什麼？是蜜甜的「伽勒吡」，是蓮花般白的乳油，是眞實的印度味。

這雪白的是鹽，這袈裟般黃的是胡椒，這囉吡般的紅的是辣椒末。

這瓦罐裏的是水，牟尼般亮，「空」般的清，「無」般的潔。這是太晤士中的水，但仍是恒伽河中的水?!

〇二

一個朋友向我說：你到此間來，你看見了

印度的一線。

是，——那一線赭黃的，是印度的溫暖的日光；那一線茶綠的，是印度的清涼的夜月。

多謝你！——你把我去年的印象，又搬到了今天的心上。

那綠沉沉的是你的榕樹陰，我曾走倦了在它的下面休息過，那金光閃閃的是你的靜海，我曾在它胸膛上立過，坐過，閑閑的躺過，低低的唱過，悠悠的想過；那白濛濛的是你亞當峯頭的霧，我曾天沒亮就起來，帶着糢糢糊糊的曉夢賞玩過。

那冷而溫潤的，是你摩利迦東陀中的佛地：它從我火熱的脚底，一些些的直清涼到我心地裏。

多謝你，你給我這些個；但我不知道——你平原上的野草花，可還是自在的紅着？你的船歌，你村姑牧子們唱的歌（是你美神的魂，是你自然的子），可還在村樹的中間，清流的底裏，回響着些自在的歡愉，自在的痛楚？
那草亂螢飛的黑夜，苦般囉又怎樣的走進
你的園？怎樣的舞動它的舌？
朋友，爲着我們是朋友，請你告訴我這些
個。

(註)印度食事，尚守數千年來舊俗，故云佛祖當年所乞食。
陀勒，原名 Dal。迦勒毗，原名 Jalebi。
(一九二二，三，一〇，倫敦)

歌

沒有不愛美麗的花，
沒有不愛唱歌的鳥，
沒有一個孩子不愛哭，
沒有一個孩子不愛笑。

沒有沒眼淚的哭，
沒有不快活的笑：

你的哭同於我的哭，
你的笑同於我的笑。

哭我們的孩子哭，
笑我們的孩子笑！
生命的行程在那里？——
聽我們的哭！
聽我們的笑！

（一九二一，三，二三，倫敦）

山歌（用江陰方言）

郎想姐來姐想郎，
同勒浪一片場浪乘風凉。
姐肚裏勿曉的郎來郎肚裏也勿曉的姐，
同看仔一個油火蟲蟲飄飄漾漾過池塘。

（註）來，傳語助字，略如文言中之而字。勒或勒浪，方言謂在；浪，方言謂上。凡一片地一片場之片均平讀；一片紙一個名片之片仍去讀。油火蟲，或疊蟲字，螢也。

山歌 （用江陰方言）

姐園裏一朵薔薇開出墻，
我看見仔薔薇也和看見姐一樣。
我說姐倪你勿送我薔薇也送個刺把我，
戳破仔我手末你十指尖尖替我綁一綁。

（註）和，方言讀如海去聲。戳，刺也。綁，謂以布片縛創處。

山歌

（用江陰方言）

劈風劈雨打熄仔我格燈籠火，
我走過你門頭躲一躲。
我也勿想你放脫仔棉條來鬧我，
只要看看你們縫裏格燈光聽你唱唱歌。

（註）劈風劈雨，謂狂風急雨之劈面打來者。婦女紡紗，有時略停，則曰放一放棉條來。

北新書局印

山歌（用江陰方言）

你叫王三妹來我叫張二郎，
你住勒村底裏來我住勒村頭浪。
你家裏滿樹格桃花我抬頭就看得見，
我還看見你洗乾淨格衣裳晾勒竹竿浪。

（註）晾，讀爲浪。

一九二六年

山歌（用江陰方言）

你聯竿摑摑乙是摑格我？

我看你殺毒毒格太陽裏打麥打的好罪過。

到仔幾時一日我能夠來代替你打，

你就坐勒樹陰底下紮紮鞋底唱唱歌。

（註）聯竿，打麥器，竿，讀爲該。摑，招手也；以聯竿打麥，狀如招手。殺毒毒，言陽光之烈。罪過，謂可憐；罪，讀如在。紮鞋底是鄉間婦女無事時之消閒工作。

山歌 （用江陰方言）

五六月裏天氣熱旺旺，
忙完仔勺麥又是蒔秧忙，
我蒔秧勺麥嘸不你送飯送湯苦，
你田岸浪一代一代跑跑跑得脚底乙燙？

（註）勺麥，謂刈麥。嘸不，謂不及。一代一代，謂一次一次。

一九二六年

母的心

他要我整天的抱着他；
他㩳着笑着跳着，
還要我不住的跑着。
唉，怎麽好？
我可當眞的疲勞了！……
想到那天他病着：

火熱的身體，
水澄澄的眼睛，
怎樣的調他弄他，
他只是昏迷迷的躺着，——
哦！來不得，那眞要
戰慄冷了我的心；
便加上十倍的疲勞，
你可不能再病了。

（一九二一，七，三，巴黎）

恥辱的門

「……生命中掙扎得最痛苦的一秒鐘，
現在已安然的過去了！
這一刻——正恰恰是這一刻——
我已決定出門賣娼了！
自然的顏色，
從此可以捐除了；

榴火般紅的脂，
粉壁般白的粉，
從此做了我謀生的工具了。

這亦許是值得紀念的一天，
唉！……………………

但是算了罷，
我又不是做人家沒做過的事，
算了罷，就是這麼罷！

預料今後的你和我，
已處於相異的世界了！——
你可以玩弄我；
你，原是這個你，可以辱罵我。
你可以用金錢買我的愛
（無論這愛是真的，是假的，
卻總得給你買些去），
而你轉背就可以罵我是下流，罵我是墮落！

我呢？我除吞聲承受外，
那空氣，你的上帝所造的空氣，
還肯替我的呻吟，
顫動出一半個低微的聲浪麼？

你轉動着黃鶯般靈妙的嘴與舌，
說人格，說道德，
說什麼，說什麼，………
唉！不待你說我就知道了；

一九二六年

而且我的寶貴它，
又何必不如你？
但饑餓總不是兒戲的事，
而人生的歸結，
也總不是簡單的餓死罷！

亦許多承你能原諒我。
我不敢說你的原諒是假意的；
但是唉！不免枉受了盛情了，

我能把我最後掙扎的痛苦，
使你同樣的感到一分麽？

我承認你——
你的玩弄，侮辱，與原諒，
都是，而且永遠是不錯的，
因爲你是個幸運者！
但是，也能留得一條我走的路麽？——
唉！這也只是不幸運者的空想罷！

一三七——一九二六年

一九二一

到我幸運像你時，
亦許我也就同你一樣了！
多餘的話太多了！
再見罷！
從此出了這一世，
走入別一世：
鑽進恥辱的門，
找條生存的路！……

恥辱的門

一三八

北新書局印

賊！時間是記憶的賊！
可是過去的事也總得忘記了！
再見罷，從此告別今天的我：
我此後不再記憶你，
不再認識你；
因爲我既然要活着，
怎能容得你這死鬼的魂，
做我鑽心的痛刺呢？……

一九二六年

（後序）

這首詩，我想做了已有一年了。曾經起過幾次頭，但總是寫了幾句，隨即拋去。直到昨天，才能一氣寫成。今天再修改了一下，便算暫時寫定。

我在本國，曾經看見過上海和北京的許多公娼或私娼。到倫敦，又看見辟卡迪里一帶滿街的私娼（即是詩中所說粉同牆壁一樣白，脂同

榴火一樣紅的 。有人告訴我：這是大戰的成績；戰前的倫敦，雖然也有私娼，可決沒有這樣盛。最近到巴黎，耳目所及，竟令我無從更說娼字，因爲那雖然有職業，而所得不足以維持生活，必須依靠別種收入的女人太多了。這些都是促我做成這詩的原動力。

我知道世間亦有樂意爲娼的人，即如我聽人說過的某郡主是。但這只是例外而已。即退步到極點，認此等人爲例內，而以其餘者爲例外，則此種之例外，爲數既多，也就不得不加以注意了。

有眼睛的，可以看得出我的話，不是「女本良家子，不幸墮落風塵」一類的話。但若說我的意思是「如得其情，則哀矜而勿喜」，也不免是同樣的錯誤。因爲我們一千人等，只是幸而不賣娼。若到我們不幸而賣娼時，我們能承認，能容許有什麼人配得上哀矜我們麼？

有眼睛的，當然也可以看得出我並不是說無

可奈何，即賣娼亦未嘗不可。但除此之外，還有什麽方法？這就是我自己不能回答的一句話。

還有一層，我們若是嚴格的自己裁判，我們曾否因為恐怕餓死，做過，或將要去做，或幾乎要打主義去做那賣娼一類的事（那是很多很多的！）？做成與不做成，夠不上算區別：因為即使不做成，就一方面說，社會能使得我們有發生這種想念的可能，我們對於社會，就不免大大的失望；就另一方面說，我們能有得此等想念，便可以使我們對於自己大大的失望，終而至於戰慄。而況我們所以能不做成，無論其出於自身裁制或社會裁制，其最後的救濟，終還是幸運，因爲我們至今還沒有餓死。

古怪的是我們只會張口說別人，而且尤其會說對着我們不能回得一聲口的人。對於自身，却可以今天喫飽了抹抹胡子說聲『無可奈何』，明天喫飽了剔剔牙齒說聲『事非得已』……有

一部『原諒大辭典』儘夠給我們用！這是人世間
何等殘忍可耻的事啊！
（一九二二，七，一六，巴黎）

我們倆

好凄冷的風雨啊！
我們倆緊緊的肩並着肩，手攜着手，
向着前面的『不可知，』不住的衝走。
可憐我們全身都已濕透了，
而且冰也似的冷了，
不冷的只是相並的肩，相攜的手了。

（一九二一，八，一二，巴黎）

巴黎的秋夜

井般的天井：
看老了那陰森森的四座牆，
不容易見到一絲的天日。
什麼都靜了，
什麼都昏了，
只颯颯的微風，

打玩着地上的一張落葉。

（一九二一，八，二〇，巴黎）

賣樂譜

巴黎道上賣樂譜，一老龍鍾八十許。
額髮絲絲刻苦辛，白須點滴濕淚雨。
喉枯氣呃欲有言，啞啞格格不成語。
高持樂譜向行人，行人紛忙自來去。
我思巴黎十萬知音人，誰將此老聲音傳入譜？

（一九二一，九，五，巴黎）

無題（夢中作）

我的心窩和你的，
天與海般密切着；
我的心絃和你的，
風與水般協和着。

啊！～～～～～

血般的花，花般的火，
聽它罷！

把我的靈魂和你的，
給它燒做了飛灰飛化罷！

（一九二二，九，一〇，巴黎）

戰敗了歸來

在街市中看見一幅刻銅畫，題目叫『戰敗者』，畫中有一個衣衫藍縷的兵，坐在破屋旁一塊石上，兩手捧頭，作悲思狀。我極愛這畫，可又因價錢太大，不能購買，只得天天走過時，向它請安而已。過了許久，這畫想已賣去，我連請安的機會也沒有了，心中可還是梗梗不忘；結果便寫成了一首小詩，聊以自慰。

（一九二二，九，一五，巴黎）

戰敗了歸來，
滿身的血和泥，
滿胸腔的悲哀與羞辱。
家鄉的景物都已完全改變了，
一班親愛的人們都已不見了。
據說是愛我的妻，
也已做了人家的愛人了！

冷風吹着我的面，
枯手撫摩着我的瘢，
捧着頭兒想着又想着，
這是做了什麼個大夢呢？——
一班親愛的人們都已不見了，
據說是愛我的妻，
也已做了人家的愛人了！

北新書局印

小詩

許多的琴絃拉斷了，
許多的歌喉唱破了，——
我聽着了些美的音了麼？
唉！我的靈魂太苦了！

（一九二一，九，一六，巴黎）

小詩

酷虐的凍與餓，
如今挨到了我了；
但這原是人世間有的事，
許多的人們凍死餓死了。

（一九二一，九，一七，巴黎）

小詩

眼淚啊！
你也本是有限的；
但因我已沒有以外的東西了，
你便許我消費一些罷！

（一九二一，九，一九，巴黎）

一九二六年

秋風

秋風一何涼！
秋風吹我衣，秋風吹我裳。
秋風吹遊子，秋風吹故鄉。

（一九二一，九，二〇，巴黎）

兩個失敗的化學家

我相識中，有兩個失敗的化學者．一姓某，一姓某。他們一生的經過，大致是相同的。一天晚上，我忽然想到，就做成了這首詩。

他們爲了買儀器，
賣完了幾畝的薄田。
他們爲了買藥品，
拖上了一身的重債。

一九二六年

這樣已是二十多年了，
他們眼看得自己的鬍子，
漸漸的花白了。

他們沒聽見妻兒的詛咒，
他們沒聽見親友的譏嘲。
他們還整天的瓶兒管兒忙，
可是傷心啊！
他們的鬍子漸漸的花白了。

他們的鬍子漸漸的花白了，
他們的眼睛也漸漸的模糊了。
他們理想中的成功呢？
許只是老淚汎瀾中的一句空話了。

他們都已失敗了。

愚人啊！
誰願意滴出一點的淚，

一九二六年

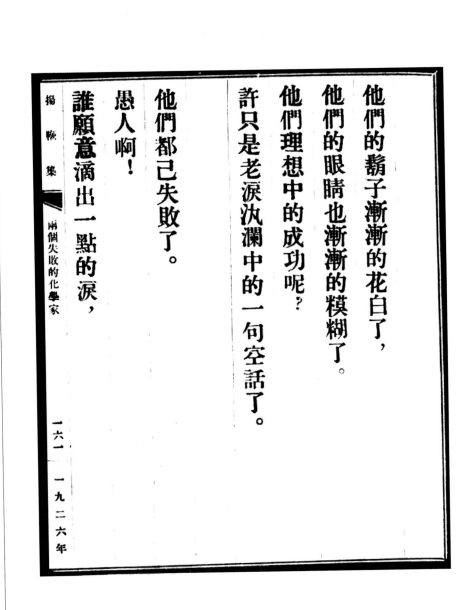

表你這愚人的悲哀？
但我是個愚人的讚頌者，
我願你化做了青年再來啊！

（一九二一，九，二三，巴黎）

北新書局印

老木匠 （記小兒語）

我家住在樓上，
樓下住着一個老木匠。
他的鬍子花白了，
他整天的彎着腰，
他整天的叮叮噹噹敲。
他整天的咬着個烟斗，

他整天的戴着頂舊草帽。
他說他忙啊！
他敲成了許多桌子和椅子。
他已送給了我一張小桌子，
明天還要送我一張小椅子。

我的小櫃兒壞了，
他給我修好了；
我的泥人又壞了，

他說他不能修，
他對我笑笑。

他叮叮嚀嚀的敲着，
我坐在地上，
也拾些木片兒的的搭搭的敲着。
我們都不做聲，
有時候大家笑笑。

他說『孩子——你好！』
我說『木匠——你好！』
我們都笑了，
門口一個鄰人。
（他是木匠的朋友，
他有一隻狗的），
也哈哈的笑了。

他的加非糞好了，

他給了我一小杯，
我說『多謝』，
他又給我一小片的麵包。

他敲着烟斗向我說
『孩子——你好。
我喜歡的是孩子。
我說『要是孩子好，
怎麽你家沒有呢．』

一六七 一九二六年

他說「唉！
從前是有的，
現在可是沒有了」。
他說了他就哭，
他抱了我親了一個嘴；
我也不知怎麼的，
我也就哭了。

（一九二一，一〇，一，巴黎）

織布

織布織布，

朝織丈五，暮織丈五，

尚餘丈五！

（一九二一，一〇，五，巴黎）

荒郊

荒郊古道，人疲馬饑。
冥冥雲合，悠悠鳥飛。
天之顛兮，地之底兮。
嗟我所思，將何以見之？

（一九二一，一〇，一五，巴黎）

詩神

詩神！
你也許我做個詩人麼？
你用什麼寫你的詩？
用我的血，
用我的淚。
寫在什麼上面呢？
寫在嫣紅的花上面，

一九二六年

早已是春殘花落了。
寫在銀光的月上面，
早已是烏啼月落了。
寫在水上面，
水自悠悠的流去了。
寫在雲上面，
雲自悠悠的浮去了。——
那麽用我的淚，寫在我的淚珠上；
用我的血，寫在我的血球上。

哦！小子，
詩人之門給你敲開了，
詩人之家許你長眠了。
（一九二二，八月）

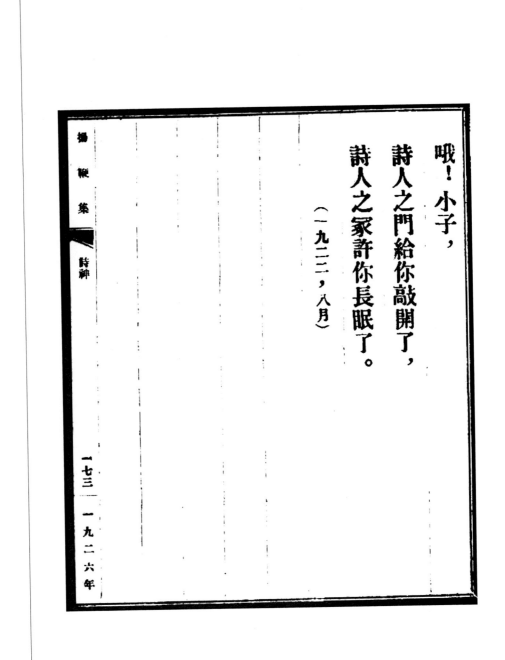

三十三歲了

三十三歲了，
二十年前的小朋友沒有幾個了，
十年前的朋友也大都分散了，
現在的朋友雖然有幾個，
可是能於相知的太少了！
三十三歲了，

二十年前不能讀什麽書，
十年前不能讀好書，
現在能於讀得了，
可常被不眠症纏繞着，
讀得實在太少了！

三十三歲了，
二十年前的稚趣沒有了，
十年前的熱情漸漸的消冷了，

一九二六年

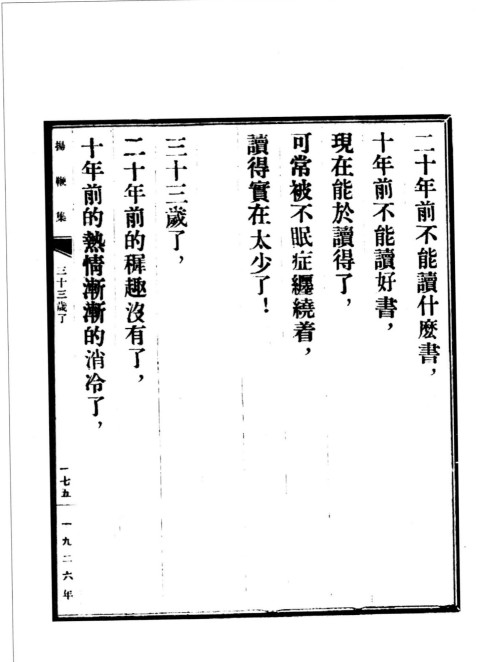

現在雖還有前進的精神，
可沒有從前的天真爛熳了！

三十三歲了，
回想到二十年前年對於現在的夢想，
回想到十年前對於現在的夢想，
若然現在不是做夢麼？
那就只有平凡的前進，
不必再有什麼夢想了！

（一九二三，四月，巴黎）

柏林

大戰過去了，
我看見的是不出烟的烟囪，
我看見的是赤脚的孩兒滿街走！

去年到德國去，火車開進德境，滿眼都是烟囪，可以看出當初工業之盛；但現在是十個裏九個沒有烟了。到柏林，看見無數的赤脚小孩。這分明是買不起鞋子（因爲戰前不這樣），

一九二六年

但是做父母的說：這樣很合衛生，醫生也說：這樣很合衛生！

在柏林住了三個多月，昏沈煩悶，沒有什麼可寫。只這一些，是初到時腦中得到的一個最新鮮的印象，也是離德以後，腦中還刻得最深的一個印象，所以現在過了近一年，還把它補記出來。雖只二十九個字，我卻以為可以抵得一篇遊記了。

（一九二三，六，二，巴黎）

江南春暮怨詞

楊花雪樣飛滿天，桃花血樣流滿川。
楊花桃花一齊落，冷靜關門任淚落。

（一九二三，六，一一，巴黎）

刼

街旁邊什麼人家的頑皮孩子，將幾朶不知名的，白色的鮮花扯碎了，一瓣瓣的拋棄在地上。

風吹過來，還微微的飄起她刼後的香，可是一會兒洗街的水衝過來，她就和馬糞混和了。

這一天的溫暖明亮的朝陽光，她竟不能享

受了。麻雀兒在街上，照常的跳着叫着。她與他本是很好的朋友啊！但她已不能回頭和他作別，只能一直的向那幽悄悄的陰溝口裏鑽去了。

（一九二三，六，一六，巴黎）

一九二六年

巴黎的菜市上

巴黎的菜市上，活兎子養在小籠裏，當頭是成排的死兎子，倒掛在鐵勾上。

死兎子倒掛在鐵勾上，只是剛剛剝去了皮；聲息已經沒有了，腰間的肉，可還一絲絲的顫動着，但這已是它最後的痛苦了。

活兎子養在小籠裏，黑間白的美毛，金紅的小眼，看它低着頭喫草，側着頭偷看行人，只是個孱弱可欺的東西便了。它有沒有痛苦呢？唉！我們啊，我們那里能知道！

（一九二三，六，一三，巴黎）

我竟想不起來了

去年秋季，一日下午，在柏林南城 Steglitzstrasse 乘電車時有此感想，至今不忘。本日清早，夢未全醒，不知不覺間綴成此詩。

（一九二三，六，二四，巴黎。）

電車上擠得滿滿的，
我站在車窗外，

她坐在車窗裏，
細看了又細看，
好像有些認識的，
可是我竟想不起來了。

大雨連天的潑下來；
大風搖撼着道旁的古樹，
天翻地覆的響。
我衣服都已濕透了，

一九二六年

一九二三

我竟想不起來了

我人也快要凍僵了，
但我還不住的想，
不差罷！——
好像有些認識的，
可是我竟想不起來了。

亂箭般的雨點，
打花了車窗，
越發看不清她的面貌了；

一八六

北新書局印

能看見的只她胸口兒白白的，
糢糢糊糊的像被濃霧籠罩着，
啊！便是這麽一些罷，
好像有些認識的，
可是我竟想不起來了。

一九二六年

夢

正做着個很好的夢，
不知怎的忽然就醒了！
回頭努力的去尋罷！
可是愈尋愈清醒：夢境愈離愈遠了！

眼裏的夢境漸漸遠，
心裏的夢影漸漸深：

北新書局印

將近十年了，
我還始終忘不了！

要忘是忘不了，
要尋是沒法兒尋。
不要再說自由了，
這點兒自由我有麼？

（一九二三、六，二九，巴黎）

一九二六年

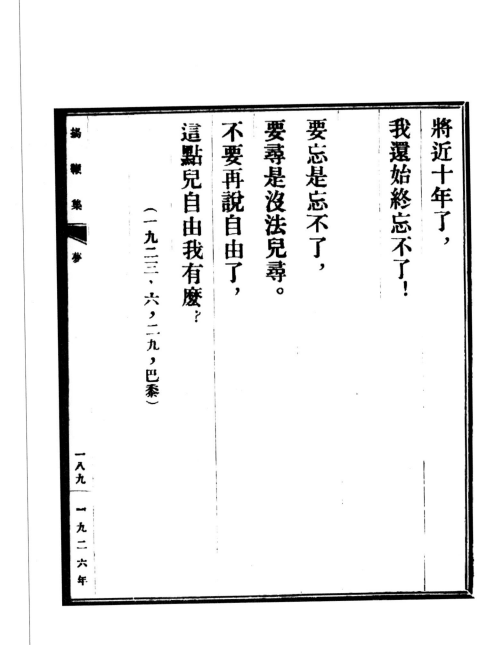

在墨藍的海洋深處

在墨藍的海洋深處，暗礁的底裏，起了一些些的微波，我們永世也看不見。但若推算它的來因與去果，它可直遠到世界的邊際啊！

在星光死盡的夜，荒村破屋之中，有什麼個人嗚嗚的哭着，我們也永世聽不見。但若推算它的來因與去果，一顆顆的淚珠，都可揮灑到人間的邊際啊！

他，或她，只偶然做了個悲哀的中點。這悲哀的來去聚散，都經過了，穿透了我的，你的，一切幸運者的，不幸運者的心，可是我們竟全然不知道！這若不是人間的恥辱麼？可免不了是人間最大的傷心啊！

（一九二三，七，四，巴黎）

別再說⋯⋯

別再說多麼利害的太陽了，
只看那行人稀少的大街上，
偶然來了一輛的馬車，
車輪的邊上，馬蹄的角上，
都爆裂出無數的火花！
啊！加非館外的涼棚，
一個個的多麼整齊啊！

可是我想到了紅海邊頭，沙漠游民的蓬帳，
我想到了印度人的小屋，
我想到了我靈魂的墳墓：
我親愛的祖國！

別再說自然界多麼的嚴峻了，
只看那凈藍的天，
始終是默默的，
始終不給我們一絲的風，

一九二六年

始終不給我們一片的雲！
獨行踽踽的我，
要透氣是透不轉，
只能挺着忍着，
忍着那不盡的悲哀，
化做了腹中一陣陣的熱痛，
化做了一身身的黃汗。
啊！不良的天時，不良的消息，

你逼我想到了『紅笑』中的血花！
我微弱的靈魂，
怎担當得起這人間的耻辱啊！

（後序）

去年五月二十四日的大熱，已將巴黎三十年來的記錄打破。今年七月六日，又將這記錄打破。恰巧這天，我北大同學爲着國際共管中國鐵路的不詳消息，開第一次討論會，我就把這首記我個人情感的詩，紀念這一次的會。

我要附帶說一句話：愛國雖不是個好名詞，但若是只用之於防禦方面，就斷然不是一樁罪惡。

我還要說：我不能相信不抵抗主義。

蝸牛是最弱的東西了，上帝還給它一個殼，兩個觸角，這爲什麼？

鼠疫殺人，我們防禦了；瘋狗殺人，我們將它打死了；爲什麼人要殺人，我們要說不抵抗！

為着愛國二字被侵略者鬧壞了，就連防禦也不說；為着不抵抗主義可以做成一篇很好的神話，就說世界中也應如此。這若不是大智，可便是大愚！

我只要做個不智不愚的人，我不能盲從。我就是這麼說！

（一九二三，巴黎）

憶江南

苦憶江南，寫五十六字。昔仲甫謂尹默詩如老嫗，半農詩如少女，意頗不然。今自視此作，或者不免。因寫寄尹默，令嫗嫗一笑。

桃花一抹紅無底，小山青點桃花裏。
平湖澈響打魚聲，漁歌歇處農歌起。

別此三年三萬里，心裏拋開纏夢裏。
海潮何日向東流？爲攜幾滴遊人淚。

（一九二三，七，八，巴黎）

一九二三 儘管是 二〇〇 北新書局印

儘管是……

她住在我對窗的小樓中，
我們間遠隔着疎疎的一園樹。
我雖然天天的看見她，
却還是至今不相識。
正好比東海的雲，
關不着西山的雨。

只天天夜晚，
她窗子裏漏出些琴聲，
透過了冷冷清清的月，
或透過了屑屑濛濛的雨，
叫我聽着了無端的歡愉，
無端的凄苦；
可是此外沒有什麼了，
我與她至今不相識，
正好比東海的雲，

一九二六年

關不着西山的雨。

這不幸的一天可就不同了，
我沒聽見琴聲，
却隔着朦朧的窗紗，
看她傍着盞小紅燈，
低頭不住的寫，
接着是捧頭不住的哭，
哭完了接着又寫，

寫完了接着又哭，……
最後是長嘆一聲，
將寫好的全都扯碎了！……
最後是一口氣吹滅了燈，
黑沉沉的沒有下文了！……
黑沉沉的沒有下文了，
我也不忍再看下文了！
我自已也不知怎麼着，

一九二六年

竟爲了她的傷心，
陪着她傷心起來了。

我竟陪着她傷心起來了，
儘管是我們倆至今不相識；
我竟陪着她傷心起來了，
儘管是我們間
還遠隔着疎疎的一園樹；
我竟陪着她傷心起來了，

儘管是東海的雲，
關不着西山的雨！

（一九二三，七，九，巴黎）

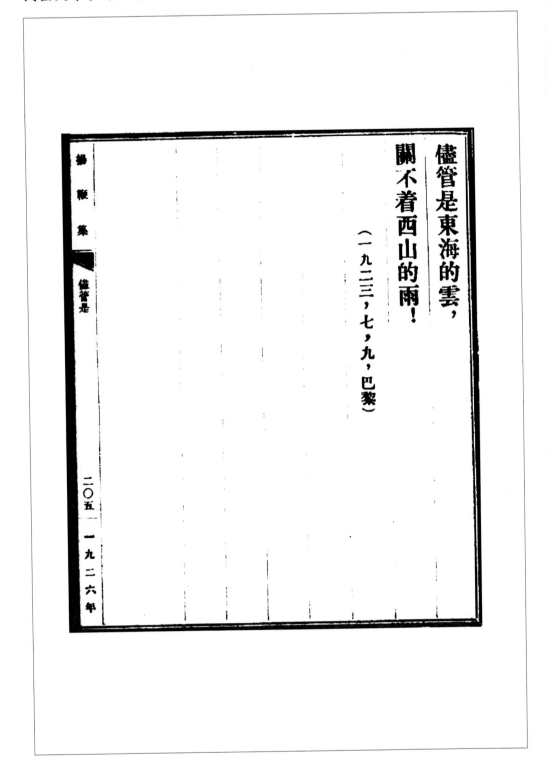

秧歌

秧針芒細似眉稍，秧田水足如明鏡。
鏡裏眉頭笑語人：郎唱秧歌與儂聽。

（一九二三，七，二三，巴黎）

北新書局印

記畫

買得舊雕板畫一幅，中寫聖希利那島拿破崙墓。愛其筆筆是詩，以詩記之。

草自青青花自紅，斜陽一角小山中。
短籬疎樹圍孤冢，憔悴當門執戟翁。

（一九二三，七，二九，巴黎）

一九二六年

母親

黃昏時孩子們倦着睡着了，
後院月光下，靜靜的水聲，
是母親替他們在洗衣裳。

（一九二三，八，五，巴黎）

北新書局印

熊

在巴黎植物園裏，看見兩隻熊，如篇中所記，其時正在日本大震災之後。

植物園裏的兩隻熊，一隻是黃的，一隻是白的，都是鐵鈎般的爪與牙，火般紅的眼。

白的一隻似乎餓着。它時時箕坐着抬起頭來，向遊人們乞食。黃的一隻似乎病着。看它伏在石槽旁喫水，喫一口，喘一口；粗而且髒的毛，一塊塊的結成了氈，結成了餅。

餓的病的總是應該可憐的。我們把帶來的麪包，儘量的擲給那白的喫。我們也互相討論：現在的醫術進步了，想已有專醫猛獸的一科了。

餓的病的總是應該可憐的。但假使它不是個熊而是個牛，不做我們的敵而做我們的友，我們的同情，不要更深一層麼？

但是，我們的失望是無盡的！便是它餓着

病着，它還是鐵勾般的爪與牙，火般紅的眼。
我在這里可憐它，它若能上得我的身，便是它
餓着病着，它豈能可憐一些我！

（一九二三，十月，巴黎）

三唉歌（思祖國也）

得不到她的消息是怔忡，
得到了她的消息是煩苦，唉！
沈沈的一片黑，是漆麼？
模糊的一片白，是霧麼？唉！
這大的一個無底的火燄窟，

澆下一些兒眼淚有得什麼用處啊，唉！

（一九二四，五月，巴黎）

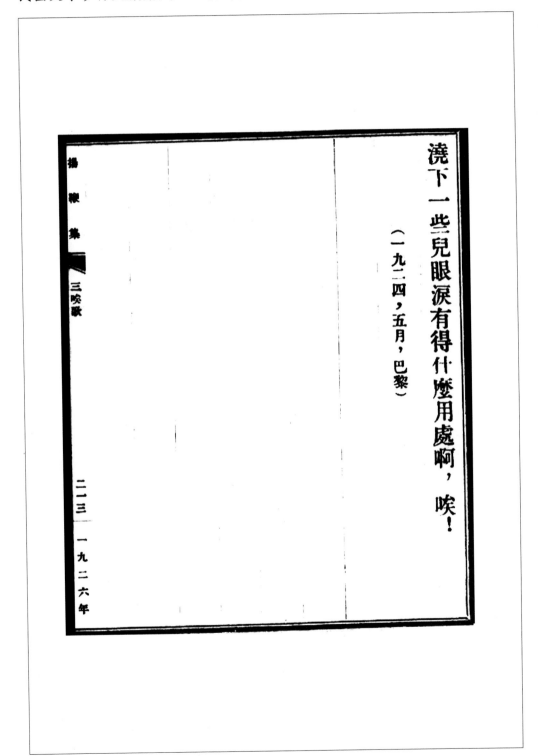

麪包與鹽

記得五年前在北京時，有位王先生向我說：北京窮人喫飯，只兩子兒麪，一銅子鹽，半子兒大葱就滿夠了。這是句很輕薄的話，我聽過了也就忘去了。

昨天在拉丁區的一條小街上，看見一個很小的飯館，名字叫作『麪包與鹽』(Le pain et le sel)，我不覺大爲感動，以爲世界上沒有更好的飯館名稱了。

晚上睡不着，漸漸的從這飯館名稱上聯想到了從前王先生說的話，便用京語謅成了一首詩。

（一九二四，五，八，巴黎）

老哥今天喫的什麼飯？

嚇！還不是老樣子！——

倆子兒的麪，

一個鏰子的鹽，

擱上半喇子兒的大葱。

這就很好啦！

咱們是彼此彼此，
咱們是老哥兒們，
咱們是好弟兄。
咱們要的是這們一點兒，
咱們少不了的可也是這們一點兒。
咱們做，咱們喫。
咱們做的是活。

誰不做，誰甭活。

咱們喫的咱們做，

咱們做的咱們喫。

對！

一個人養一個人，

誰也養的活。

反正咱們少不了的只是那們一點兒；

咱們不要搶喫人家的，

可是人家也不該搶喫咱們的。

一九二六年

對！
誰要搶，誰該揍！
揍死一個不算事，
揍死兩個當狗死！
對！對！對！
揍死一個不算事，
揍死兩個當狗死！
咱們就是這們做，
咱們就是這們活。

做！做！做！
活！活！活！
咱們要的只是那們一點兒，
咱們少不了的只是那們一點兒，——
兩子兒的麪，
一箇錋子的鹽，
可別忘了半喇子兒的大葱！

一九二六年

山歌

（用江陰方言）

你乙看見水裏格游魚對挨着對？

你乙看見你頭上格楊柳頭並着頭？

你乙看見你水裏格影子孤零零？

你乙看見水浪圈圈一幌一幌幌成兩個人？

（註）乙，疑問詞，猶國語之可或可曾，吳語之阿。

山歌（用江陰方言）

小小里橫河一條帶，
河過邊小小里青山一字排。
我牛背上清清楚楚看見山坳裏，
竹籬笆裏就是她家格小屋兩三間。

（註）小小里，猶言小小的。過邊，猶言對面。

一九二六年

山歌 （用江陰方言）

河邊浪阿姊你洗格舍衣裳。

你一泊一泊泊出情波萬丈長。

我隔子綠沈沈格楊柳聽你一記一記搗，

一記一記一齊搗勒篤我心上！

（註）一記，方言謂一下。

北新書局印

擬兒歌（用江陰方言）

吾鄉沙洲等地，尚多殘殺嬰兒之風；歌中所記，頗非虛構。

「小豬落地三升糠」，
小人落地無抵扛！
東家小囝送進育嬰堂，
養成乾薑癟棗黃鼠狼！
西家小囝黑心老子黑心娘，

一九二六年

落地就是一釘韡，
嗡嚹！一條小命見閻王！
蒲包一包甩勒蕩河裏，
水泡泡，血泡泡，
翻得泊落落，
鯉魚鯽魚喫他肉！
明朝財主人家買魚喫，
魚裏喫着小囝肉！

（註）首句是鄉諺。無抵扛，或作無頂扛，謂無對付安排之

具。蕩河謂大河；蕩字平讀，如堂。

擬兒歌（用江陰方言）

鐵匠鏜鏜！
朝打鋤頭，夜打刀槍。
鋤頭打出種田地，
刀槍打出殺囝兩。
囝兩殺勿着，
倒把好人殺精光。
好人殺光嘸飯喫，

賸得罔兩喫罔兩！

氣格隆冬祥！

(注)罔兩，讀如枉良，方言謂強兒無恥者。末句象鑼鼓之聲，小兒每喜言之，含有「拉倒完結」之意

一九二六年

擬兒歌（用江陰方言）

我哥哥，你弟弟，
明年阿娘養個小弟弟。
哥哥吃米弟吃粞，
哥哥吃肉弟吃鷄。
雞喔喔，喔喔啼！
雞喔喔，鷄冠花。

鷄冠花，滿地紅；
喇叭花，滿地綠；
紅紅綠綠一團錦，——
黃山上，
嘔噠嘞喻吨！
砲打江陰城！

（注）嘔噠，軍號聲；嘞喻吨，砲聲。

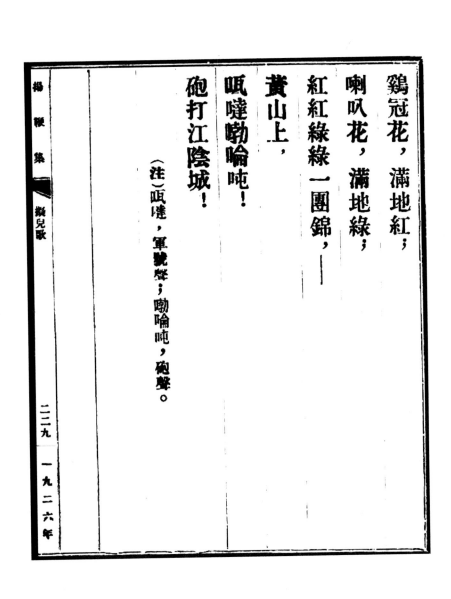

擬兒歌（用江陰方言）

嘸事做，街上蕩；
討老婆，喫家當。
家當愁喫完，
快快養個兒子中狀元。
兒子養到十七八，
照樣豁拆拆。
再討老婆再養兒，

再望後代狀元出我家。

一代望一代，

代代有後代。

現成封翁封婆代代有，

只恨狀元勿肯來投胎！

（註）家當，方言謂家產。討，猶言娶。豁拆拆，謂不務正
業，無所事事。

（一九二四，八月，巴黎）

一九二四　儂家　二三二　北新書局印

儂家

君問儂家住何處，去此前頭半里許；
濃林繞屋一抹青，簷下疎疎晾白紵。

陣雨

陣雨初過萬山綠，斷續鐘聲出林曲。
君如不怕歸去遲，稍留共看今宵月。

一九二六年

擬擬曲

在報上看見了北京政變的消息，便摹擬了北京的兩個車夫的口氣，將我的感想寫出。

（一九二四，一〇，二六，巴黎）

老哥，咱們有點兒不明白：
怎麼曹三爺曹總統，——
聽說他也很有點兒能耐，
就說花消罷，他當初也就用勒很不少——

怎麼現在也是個辦不了？
不是我昨兒晚上同你說：
前門造鐵路，造壞勒風水啦。
當初光緒爺登基，
笑話兒可也鬧勒點，
可總沒有這麼多。
可不是！
咱們笑話兒也都看夠……
他們都是耀武揚威的來，

一九二六年

可都是——他媽的——捧着他腦袋瓜兒走！
先頭他們來，不是你我都看見，屋頂上也站滿勒兵。
現在他們走，
說來也丟盡勒他媽的臉，還不是當初的兵！
只是鬧着來，鬧着走，
苦子的只是咱們幾個老百姓。
對阿！
眼看得天氣越冷越緊啦；

前天括勒一整夜的風，
我在被窩兒裏翻來覆去的想着：
今年這冬天怎麼辦？
眞是整夜的沒睡着。
老哥你想：一塊大洋要換二十多吊。
咱們是三枚五枚的來，一吊兩吊的去。
鬧勒水災喫的早就辦不了，
可早又來勒這逼命的冬天啦！
唉！咱們誰都不能往前頭想，

一九二六年

只能學着他們幹總統的，
幹得了就幹，幹不了就算！
反正咱們有的是一條命！
他們有臉的丟臉，
咱們有命的拚命，
還不是一樣的英雄好漢麼？

歸程中得小詩五首

〇一 地中海

濤聲寂寂中天靜，三五疎星兢月明。
一片清平萬里海，更欣船向故鄉行。

〇二 蘇彝士運河

重來夜泛蘇彝士，月照平沙雪樣明。
最是岸頭鳴蟋蟀，預傳萬里故鄉情。

○三　Minikoi 島

小島低低烟雨濃，椰林滴翠野花紅。

從今不看炎荒景，漸入家山魂夢中。

○五　哥倫波海港

椰林漾晴暉，海水澄嬌碧。

伊啞槳聲中，一個黃蝴蝶。

〇五 西貢

瀾滄江，江上女兒愁，
江樹傷心碧，江水自悠悠！

（一九二五，七，三一八，七，海上）

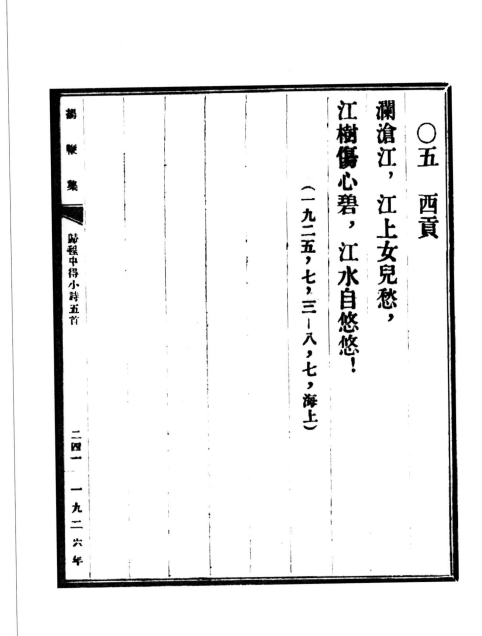

擬擬曲

老六，我說老九近來怎麼樣？
怎麼咱們老沒有看見他？
可是他又不舒服啦？
還是又跟他媳婦兒嘔勒氣，
氣得把他的肺都炸勒吧？
我說老五，你們做街坊的總有個耳聞罷！

嚇！你這小孩子多胡塗！

你說的老九不是李老九？
李老九可是早死啦！
結啦？完啦？
可不是！
什麼病？
病？誰說得清它是什麼病，什麼症！
橫是病總是病罷！
請大夫瞧瞧勒沒有？
瞧？許瞧——

瞧勒可又怎麽着？
你不知道害病是闊人的事！
花上十塊請個大夫來，
再花十塊抓劑藥，
憑你是催命鬼上勒門也得轟走啦！
也不見得罷！
你看袁宮保袁總統，
馮國璋馮總統，
不都是他媽的兩條腿兒一挺就吹勒燈勒嗎！

死的也是死，
可總是死總統少，活總統多；
不像咱們拉車的，
昨兒死的是老九，
說不定明兒個死的就是我老六；
趕到明兒個的明兒個，
要是你老五死啦，
你媳婦兒哭哭啼啼，
我老六就去娶她！

一九二六年

別打哈哈啦！
你還是好好的告訴我能：
老九死勒有幾天啦？
我跟他交情是沒有，
可是同在一個口兒上擱車，
打乙卯那一年起，
算起來也有十二三年啦。
我們倆見天兒見早晨拉着空車上這兒來，
大家見面兒『今兒早！

喫勒飯勒罷？」
到晚半天兒大家分手，
他說：「老六明兒見，
你媳婦兒給你蒸了鍋窩頭，
你去好好的喫罷！」
我說「老九明兒見，
你小寶貝兒在門口兒等着你哪，
要你給他一個子兒買個燒餅喫。」
嗐！這都是平常的事，

一九二六年

可是到他死勒一想着，
眞叫人有點兒難受哇！
唉！老九這人眞不錯。
可是他死也死得就太慘啦！
不是你知道，
自從前年秋天起，
他就有勒克兒咳克兒咳的咳嗽。
這病兒要是害在闊人老爺身上啊，
那就甭說

早晨大夫來，
晚晌大夫去，
還要從中國的參茸酒，
喫到外國的六〇六。
偏是他媽的害到勒老九身上啦，
可還有誰去理會他？
他媳婦兒還不是那樣的胡塗蠻纏不講理，
他孩子們還不是哭哭咧咧鬧着喫，
哭哭咧咧鬧着穿！

一九二六年

老九他自己呢，
他也就說不上『自已有病自己知』，
他還是照樣的拉！拉！拉！
拉完勒咳嗽，咳嗽完勒拉！
這樣兒一天天地下去，
他的小模樣兒早就變成勒鬼樣啦！
到勒去年冬天的一天，
呵，天氣可是眞冷，
我看見他身上還穿着那件稀破六爛的棉襖，

坐在車簸箕上凍得牙打牙。
我說「老九，
你又有病，天又冷，
這棉襖可是太單寒，
不如給他添添棉花就好多啦。
他說「唉！那摸錢去？
是你老六送我嗎？」
說着他就掉勒幾滴眼淚，
可又接着說：

「天氣快要暖和啦，
一到打春，我身子就可以好多啦。
不想今年不比得往年，
春是打啦，
天氣是暖和啦，
他病可是一點兒點兒重；
病雖是一點兒點兒重，
車可還是要他一天天的拉；
他拉着拉着，

拉完勒咳嗽，咳嗽完勒拉，
直拉到躺在炕上爬不起，
這已是離死不過兩三天啦！
聽說他死的那一天，
早上還挨勒他媳婦兒一頓駡；
趕到他眞斷勒氣，
他媽的可又天兒啊地兒啊的哭起活兒來啦！
這且不去管！
反正她就是這麼一路貨！

一九二六年

可不知道後事是怎麼辦的？
一個狗碰頭，
是我們街坊攢的公益兒；
裝裹也就說不到：
那件稀破六爛的硬棉襖，
就給他穿勒去；
一根咬桿兒烟袋，
還是他小女孩想起來勒給他殉勒葬。
這樣就是過勒他這一輩子，

這樣就報答勒他一輩子的奔忙啦！

（一九二五，九，一六，北京。）

一九二五

小詩五首

小詩五首（小病中作）

〇一

若說吻味是苦的，
過後思量總有些甜味罷。

〇二

看着院子裏的牽牛花漸漸的凋殘，
就想到它盛開時的悲哀了。

二五六

北新書局印

○三

口裏囔着『愛情』的是少年人，
能懂得愛情的該是中年能。

○四

最懊惱的是兩次萬里的海程，
當初昏昏的過去了，
現在化做了生平最美的夢。

〇五

又吹到了北京的大風，
又要看雙十節的彩燈向我苦笑了。

（一九二五，一〇，九，北京）

小詩二首 記老友申無量語

○一

我竟再也找不出這樣的一個人，
我就不得不付之於冥空的理想了。
冥空的理想足以陷我於『徒自苦』，
但若隨便我個人來我就更苦了。

○二

一九二六年

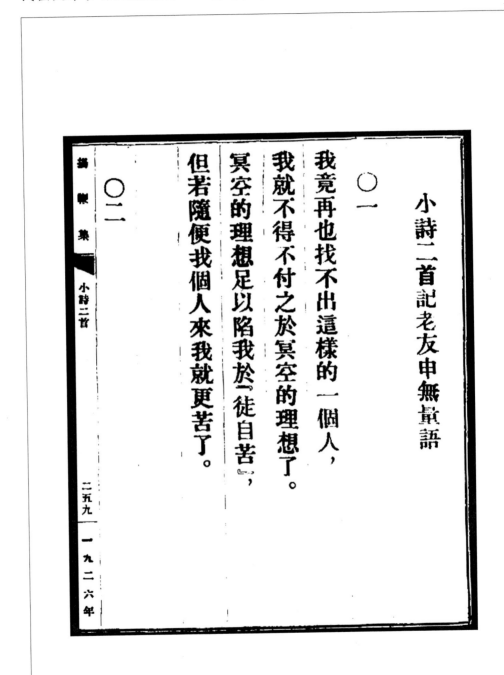

她黯然的向我說：
『當初我愛你，你沒法兒愛我；
現在你愛我，天阿！我又沒法兒愛你。』
我相信我倆的沒法都是真沒法，
我倆就把這事付之於傷心的一嘆罷。

小詩三首

○一

暗紅光中的蜜吻，
這早已是從前的事了。
人家沒端的把它重提，
又提起了我的年少情懷了。

○二

一九二六年

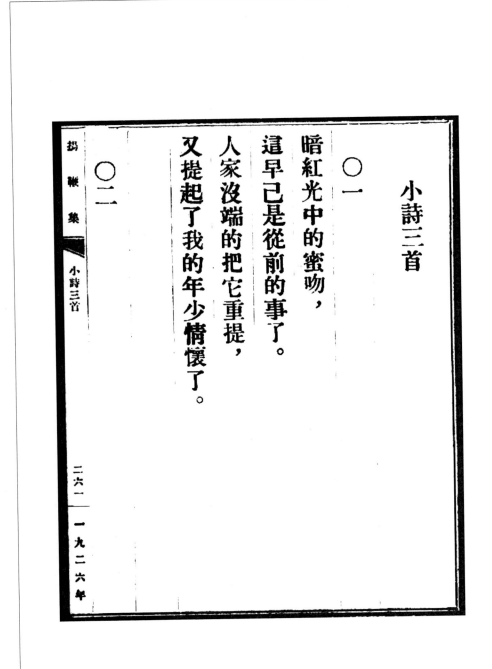

我便是隨便到萬分罷，
這槐樹上掉下的垂絲小蟲，
總教我再沒有勇氣容忍了！

〇三

夜靜時遠風飄來些汽笛聲，
偏教誤了歸期的旅客聽見了。

（一九二五，十月，北京）

揚鞭集 中卷

定價五角

一九二六年十月

北京東城翠花胡同十二號

北新書局發行

東南園三十號

中國印書局代印